OSAMU NISHI

악마에 입문했습니다! 이루마 군

& STORY 캐릭터 소개 & 줄거리

스즈키 이루마

지나치게 착해빠진 상냥한 소년. 부탁을 받으면 거절을 못 한다. 위기 회피 능력이 뛰어나다. 인간이라는 사실을 들키지 않고, 악마 학교를 평온하게 다니고 싶다.

아스모데우스 아리스

파괴와 미덕을 관장하는 가계의 악마. 입시 수석인 우등생. 입학식에서 이루마 때문에 체면을 구기고 발끈하지만, 결투로 완패한 후 이루마에게 충성을 맹세한다.

〈특기 마술=화염계 주문〉

발락 클라라

밝고 활기찬 여자 악마. 항상 야단법석에 조용할 때가 없어서, 주위로부터 괴짜 혹은 희귀 짐승 취급을 당한다. 이루마의 상냥함을 접하고 감동해서, 좋은 친구 중 한 명이 된다.

〈가계 마술=한번 본 물건은 뭐든 주머니에서 꺼낼 수 있어!〉

CHARACTERS

샤크스 리드

이루마와 한 팀이 된, 도박을 좋아하는 악마. 바치코의 무리한 요구에 두 손 두 발 다 들고, 지금은 로빈 선생님에게 가르침을 받고 있다.

바르바토스 바치코

귀여운 외모와 달리, 제멋대로에 입도 험한 여자 악마. 그러나 사실 설리번 이사장이 인정할 정도의 명궁사. 이루마에게 궁술을 가르쳐준다.

크로켈 케로리

정체는 마계의 인기 아이돌, 크롬!! 학교에선 얌전한 소녀지만… 특훈 후의 수확제에서는 타고난 카리스마를 활용해, 마수를 거느린 여왕으로 군림한다.

지금까지의 이야기

인간 말종인 부모님에 의해 악마에게 팔려버린 스즈키 이루마는 마계의 악마인 설리번의 손자가 되어 악마 학교, 바비루스에 입학한다. 인간이란 사실을 숨기는 조마조마한 학교생활을 보내면서도, 악마 친구가 늘어난 이루마는 그런 생활을 점점 즐기게 된다. 그런 바비루스에서 가장 중요한 것은 수업을 통해 마계에서의 「랭크」를 올리는 것. 1학년 전원이 참가하는 서바이벌 시험 『수확제』에서 좋은 성적을 내서 랭크 승급을 노리는 이루마를 비롯한 어브노멀 클래스 일동. 유명한 악마들의 혹독한 특훈을 견뎌낸 그들은 마수를 거느리거나, 성을 건축하거나, 싸움을 걸어온 학생에게 이기는 등… 각자가 실력을 발휘한다!! 이 모든 것은 랭크 「4(다레스)」로 승급해서 호화롭고 편안한 교실을 지키기 위해서다! 한편, 숨겨뒀던 비장의 식재료마저 빼앗기고, 0포인트로 수확제 첫날을 마친 이루마&리드 팀의 상황은…?!

CONTENTS

수확제 첫날 수확 포인트 표
15100P
14200P
12800P
9400P
8200P+미지수
0P
제116화 일발 역전의 비책
『백타사과』도 빼앗겼고
포인트도 다 빼앗겼어.
백타사과:10800P

두두웅
이 승부! 우리의 패배다!

와우
덤덤 하구나.
아——니!
무지 분하다고, 이 자식아!!

하지만 너희가 한 수 위였어!
대단 했다고!!
전사된 자! 강자의 실력은 인정해야 마땅하지!!

수확제 룰에는 상대를 공격하지 못한다고 되어 있지.
룰이 달랐다면 결과가 달라졌을지도 몰라….
음!
실제로 고전했으니 말이다!
같은 스승을 둔 자로서
너희와 싸워서 영광이었느니라.
슥…
너희들…!

좋았어!!
그럼
한 번 더
승부하자!
덥석!
이번에는
절대
안 질 거야!
?!
어?!
한 번 더
싸우자는
거냐?!
그래
당연
하지!
패배와
포기는
다르다고!!

스승님은 반드시 데려가겠어!
그러니 수확제 동안에 너희와 결판을 내겠어!
우리가 납득할 때까지 승부하자고!!
알았지?!
응
다음에는 늪으로 가자! 확 빠뜨려주지!!
오오!!
악어 사냥인가! 좋지!
엉!
도발에 넘어가지 마.
아
마술은 안 썼어요.

좋은 아침입니다~!!
네
릭

새 아침이
밝았어요~!!
수확제
이틀째
후앗♪
오늘도~
서로를
도우며!
사이좋게
즐거운
수확을
합시다~!!
으음~
어어~?

수확제
이틀째를
맞이한
학생들은
크게
두 종류로
나뉜다.
쏴아
…아
체력이
바닥나
이미
지칠 대로
지친
학생과
추—욱…
으윽,
거의
못 잤어…,
으으~
나른~
툭
툭
좋아!

개운-!
무지 기운 넘치는 학생.

자아.
텅텅…
밥도 먹었으니까!

체력도 가득!
이제부터 포인트를
팍팍 노리는 거야!
오오
기합도 넘쳐!
힘내자!

남은 사흘!
이제 느긋하게 체력을 온존할 때가 아냐.
조금만 더…
안 그래도 첫날에 0포인트 였잖아!

우뚝

0포인트?
0포인트.
응

힘내야지!

잘 들어! 체력 온존도 중요하지만
포인트도 열심히 모으라고!
네!
뭉게 뭉게

어라… 혹시… 나,
달그락…

밥을
너무 많이 먹었나…?!

아, 아차!
나도 모르게 옛날 버릇이….
조금은 남을 줄…
어버버버
하지만!
역시 이루마야! 좋은 작전이라고 생각해!
너무 기발하지만! 괜찮아! 나는 이해하고, 대찬성이거든!
어?
그거 구나?

노리고 있지?
『레전드 리프』.

?!!
~레전드~

최고 난관
수확물,
『레전드 리프』.
모든 것이
수수께끼!
이제까지 한 번도
수확된 적 없는!
10만 포인트의 거물!!
그야말로 전설이다!!

일발
역전의
잭팟!!
포인트로
역전하려면
이 방법밖에
없어.
그리고
낭만이
있잖아!!

역시
사나이라면
『도박』을
해야지!
레전드를
수확하면
틀림없이
랭크가
오를 거야!
음
음
안
그래?!
그런
거잖아!
이루마!!

……응!!
그런 걸로 해뒀다.

좋아!
방침을 정했으니 정보 수집을 하자고!
단서를 찾자!
꾹
끄~응…
하지만 학생 중에 뭔가 아는 사람은 없을 것 같은데….
숲속을 가장 잘 아는 건 숲에 사는 식물이나 마수일 거야….
마수와 이야기를 나눌 수 있다면 좋을 텐데 말이지.
하하하하
그런 건 무리….
앗.

카무이!!
가게 능력 「번역(사이 좋음)」!
카무이라면 마수와 이야기를 나눌 수 있겠지!!
응!
응!

좋아~ 그럼
어디 있는지는 내 『감각 공유(컨트롤러)』로 알아내겠어!
척...
길은 이루마가 찾아!
나아가기 쉬운 길 알려줘!
응!

케로리&
카무이
팀과!
척
억!
합류
하자!

빠아아
협력…
해줄까….
아냐,
괜찮아!
그
둘이라면
분명
빠아아
도와줄
거야!!

서로가
무사한 걸
확인하고
첫째 날
상황 등을
묻거나…
하며…

이야기를…
아아아
크르르릉

냐아
그르르

흠
그렇군요.
왈

여왕님.
방문자
입니다.

둥 두 둥

우리의 여왕.

아름다움의 화신!!

둥

오——!!

엎드려라!
얼어붙어라!

얼음의 미희이자!!

두둥

절대
여왕.
반짝
완전무결한
아름다움!!
크로켈
케로리 양…
제117화 짐승 여왕 케로리

아우
반짝
납시오~!!
(짐승말) 여왕님~!!
(짐승말) 아름다우세요~!!
커엉 커엉
꾸액
어험!
조용!!
우뚝
뭘?!
밀입국자, 이루마&리드!!
아, 네!!

반짝…
당신들의 목적은 『레전드 리프』.
그 정보를 얻기 위해
마수와 이야기를 나눌 수 있는 저에게 조언을 구하러 왔다.
여기까지는 틀림없지요?

아
네….
라고 합니다
저기?!
이루마!! 저 둘, 위압감이 엄청 나네!! 원래 저런 느낌이었어?!
하지만 용케 이 장소를 알아냈군요.

그건
내
『감각 강도(컨트롤러)』로
소문과
마력의 기척을
추적해
알아낸 건데
이런 왕국을
만들었을
줄은…….
우와~~
당연
하지요!

수확제는
기본적으로
개인전….
그렇기에!!
커―엉
커―엉
무리는 위협!
이것이 바로
최선의 전략!!
마수를
거느리고
공존하는
케로리
여왕이야말로
누구보다
강하고,
누구보다
아름답습니다!!
(짐승말)
우리의 여왕님!!
따라가겠
습니다!!
커엉
아우―
룰루루 룰루루
오늘도
아름다워!
내일도
아름다워!

우와
대단해!!
—!
적진에 함부로 들어서다니, 부주의하군요….
——…그치만

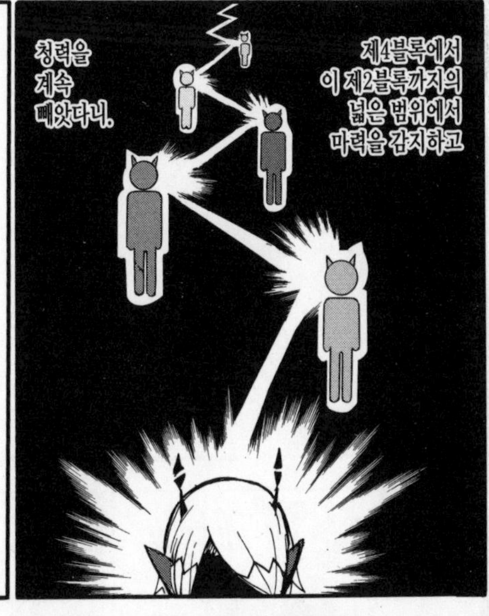
제4블록에서 이 제2블록까지의 넓은 범위에서 마력을 감지하고
청력을 계속 빼앗다니.

그 집중력….
범상치 않아…!!

자아, 어떻게 할까요. 여왕님.
움찔
어찌 됐든 불법 입국이니
추방할까요?
음….

공물은?

뭐?
공물…?
공짜로 정보를 내줄 거라고 생각했어?
그건 그래요!!
앗.
먹을 수 있는 풀을 분류 하는 법!
저기!
마수도 아니 됐어.

그럼
안전한
짐승길을
──….
윽,
짐승
짐승
으~
그 외에는~~
앗!

우리들,
첫날에
『엘리자 누님&
클라링』 팀을
만났어!
엘리자
&클라링
매료당해서
포인트를
다 빼앗겼는데….
움찔

호오!
적팀의
정보입니까!
실로
흥미롭군요!!
특히
그 두분!!
오오
그럼
좋아.
그 정보
……

두둥
와
『여흥거리 댄스』로 봐주겠어.
딱
딱
둥
왜, 왜 댄스를…?!
둥
라~ 라~
라라~
이건 여자 옷인데요?!
어, 여왕님?!

실은
마루 씨…
지인이
춤추는
여자애의
사진이
필요하다고
해서….
훗―…
어떤 지인이야??!
그러고
보니
전에도
부탁을
받은
적이….
쑤욱
입어 주세요.
우당탕쿵탕
헉
?
?

하지만
우리는
남자인데….
상관
없어.
어어…!
여왕께서
괴롭히고
계셔….
매우
즐거워
보여…!!
두근
두근

그래서
할 거야?
안 할
거야?
…아니
아무리
그래도
그…
그런 걸….

못 할 건

어버지만……!!
스승님의 억지에 휘둘리던 나날이
이렇게 도움이 될 줄이야!!
춤춰~
하하하
아~
우리는 바치코 전속 메이드!!
린디&이루미나티!!

오—옹
오둥
둥와옹
(짐승말)
갑자기 춤을 추는데!
(짐승말)
뭐야, 엄청 빛나잖아!

꽤, 꽤 귀엽네!
와—
그런데 여왕의 목적은 대체 뭐지…?!
…그녀가
단순히 괴롭힐 생각으로 『춤추라』고 한 걸까?
대답은 『NO』다.

수행 등으로
쌓인
스트레스
탓에
실은
악주기 직전인
케로리…
그녀는 발산을
원하고 있었다.

지금은
악마돌인
그녀지만
원래는
관객.

웃지 않던
그녀를
웃게
만든 게
무엇
이었
던가….

그렇다.
그녀는…
스읍…

반짝
엄청난
악마돌
마니아다.
하아
하아

더 손을 흔들어!
그래, 귀엽게!
거기서 턴!
반
여왕님이 기뻐 하신다!!
아우ー
즐거우신 것 같아! 아름다워!!
우워
오옹
갸오ー
귀여워.
와아아아
이, 이거, 성공 일까…?
아마도….
스승님… 특훈이 도움 됐어요…!
아앙~
와아아아아

(짐승말)
♪환상의~리프는 아직 없다네.
기르자. 씨앗과 화분을 손에 넣어~.
부부 중 부인은 백 보를 산책하고~
시어머니 주위를 빙글 돌아 아래로 내려가면
입을 쩍 벌리며 마중한다네~.
뱃속에 잠든 건 시작의 씨앗~.
(~중략~)
아아~ 환~상~.
오오—!?
짝
짝 짝
가사 적어뒀습니다
레전드 리프에 관한 정보는 이 노래뿐이라는 군요.
앗
고마워!!
흥—
음 만족
저희야 말로 감사 합니다.
여왕께서 크게 만족하셨고요!

이틀째는
수확제
중에서도
가장 격전이
벌어지죠!
우흥-
만전의
태세에도
도전해야
하니까요!
여러모로
준비도
해뒀으니….
?

이번은
특별히
봐주는
거예요!
다음에
도움을 청하면
진짜 무대에서
춤추게 할 거예요!
씨익
、그러니
조심
하라고요.
빙-글

이렇게 둘은 순조롭게 정보를 입수했다.
바이바이~
바이 바-이
아우~
하지만 케로리의 말대로
이틀째는 격전이 벌어졌다.

오늘 이 숲에서
쏴아아…
어브노멀 클래스의 팀이
하나 사라진다.

제118화 내가 아는 이루마는
후우잇!
띠링~!

아무래도
이루마 팀은
노래를 듣고
『시작의
씨앗』과
『끝의 화분』의
존재를
안 것 같군요!
?
?
가사
오오~!!
센서-?!
그
두 가지는
『레전드
리프』의
열쇠!!
올해야말로
수확이
가능
할까요?!
와우~!
대단해
대단해
정말
기대
되네요!!

그렇죠?! 발람 선생님!
두근 두근 하네요!!
추~욱…

「악주기 해방」은 비장의 카드라고 말했는데…. 첫날에 써버리다니….
내 제자…
아~ 괜찮아요
빙글 빙글
탈락한 건 아니잖아요.
그렇게 날뛰고도 멀쩡하니까요~.
이 몸도 날뛰고 싶다!!
지금은 안돼!!
으으
포인트도 학년 1위고요!

자아 이틀째!!
아침을 맞이해도 탈락자가 속출하고 있어요!
학생들도 힘이 바닥났을 테니까요~.
어머~~~

하지만! 첫날 밤의 구출 작업으로
교사진도 지쳤어요!
이제 몰라…
아~
이대로는 학생들이 위험해요!
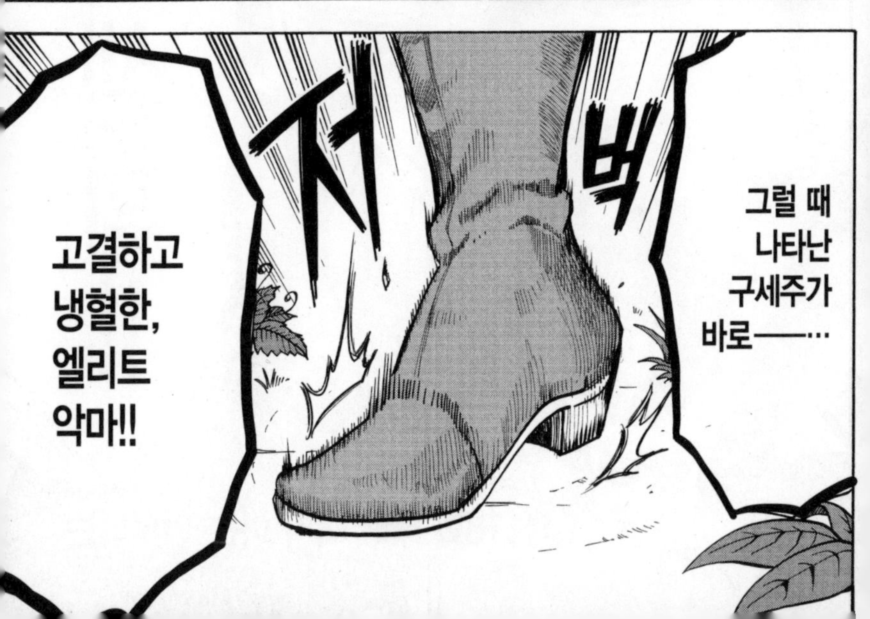
그럴 때 나타난 구세주가 바로——…
저벅
고결하고 냉혈한, 엘리트 악마!!

바비루스 학생회!!
제118화 내가 아는 이루마는

1번 블록,
탈락자
두 명
회수.
아
2번은
한 명.
3번
네 명.
라저.
수고했다.

얼추 회수가 완료 됐어요.
음.
회수
덜컥
학생 회수는 저희에게 맡기고 회장님은 본부에서 쉬어도 되는데….
역시 행동력이 대단 하세요!
그, 그래….

혹시 이루마와 만날지도 모른다고…
생각 했다만….
응
안녕 하세요!
으으…

예이~
제2블록 이동중
그런데 이렇게 보이지도 않을 줄이야….
끄으:으으…
그래도 그립네요.
…
작년 수확제에서 회장님이 보여주신 활약은 압권이었죠!
다른 이들의 추격을 허용하지 않으며
6666분의 대활약 끝에 당당히 우승!

그래서 붙은
별명이 바로
『약왕(若王)
아메리』!!
약왕-!
오오오
아메리님-!!
오오오
부끄러우니까
그 이야기는
그만해.

올해는
누가
우승할까요?
역시
후보는
아스모
데우스와
오로
바스….

움찔
이루마는
O포인트
네요.

이제 와서
역전 우승을 하려면
『레전드 리프』를
얻는 수밖에
없으려나요….
……
『레전드
리프』….

작년에 나도 도전해봤지만 단서조차 찾지 못했지.
나중에 트릭을 알긴 했다만…
그럼 이루마가 대역전을 하는 건….
그건 주최 측의 장난질 수준의 짓! 수확은 불가능하다고 해도 과언이 아니다.
아마 무리겠지.

음-
그렇구나.
하긴, 그렇겠죠….
하지만

이루마에
대한
내 예상이
맞은 적이
없다.

그 녀석은 항상 예상을 벗어나지.
온갖 무리를 이뤄내며 기대 이상의 결과를 거뒀다.
『설마』를 이뤄내는 녀석이다.

이번에는 어브노멀 클래스 전원이 「4」로 올라가야 한다는 과제도 있으니
그도 기합이 잔뜩 들어갔을 테지.
무슨 짓을 할지 모르겠는걸.

…….
회장님….

그런 점을
좋아하시는
건가요?
도
놈

조, 조,
…뭐…?!
?!
?!
마음에 들긴 한 거죠?
어머?
윽
뭐 그래.
으음…
후후후…
확실히 이루마가 예상을 벗어난다면

…!
설마….

회장님에게
레전드 리프
꽃다발을 바치지
않을까요…?

for you…
바삭
바삭
진짜로…?!
그 정도면 프러포즈…?!
흐윽
싱글
벙글
삐리리리릭

큰일 났습니다, 회장님!!
우웅
어어
관전 텐트에서 큰 소동이 벌어졌습니다…!!
본부 옆 탈락자용 관전 텐트
와아
탈락텐트
와아

어이어이
와아
좋아-
와아
거기다!!
아스모데우스 더 날뛰라고-
좋아-
케로리여왕 아름다워!
재미있어 가프!!
와하하하
아하하하
오오-

이 소란은 대체 뭐지….
와아
저건….
①블록
②블록
③블록
④블록
인기!
잭팟!!
오오—
와아
도박?
확금
일천
와아
와하하하
와아
오오~. 학생의 데이터와 판돈…. 익숙한걸.
이루마에게 걸까~
그럴 때가 아냐!
어이! 다들 좀 조용히——….
와아
시끌시끌
쾅
벌떡

쾌럭
시끄럽다, 이놈들아!!
더 조용히 떠들어라!!
히익!!

회, 회장이다!!
아메리 회장님…!!
멋져…!!
오오오
오오
주범은….
땡큐-
시끌
시끌

고오오오
네놈
이냐.
저는
도우미고!!
이 도박은
방금 탈락한
학생이
시작한 건데….
어어?!
회,
회장님
?!
제,
제가
아니
에요!!
덥석
저
전혀
찔리는
구석은….

탈락한
학생?
콜록
네
그게,
저기 있는…

재예요.
후룩
후루룩
후루룩—

내기접수

어, 어이!!
거기서 뭐 하는 것이냐?!
어라 회장님
식사 중인데요.
안녕하세요
마멘 인데요.

벌컥
벌컥
탈락했으니 할 거라곤 밥 아니면 도박 뿐이에요.
!

탈락….
어느새….

터
어
엉
이야기 좀 들어줄래요?!!

지금
생각해도
무시무시한….
그…
지옥을….
꿀꺽
후루루룩

제119화 학생 사냥

현재 우리는
둘이서
12800P.
한 명당
6400P.
아직 부족해.
우승하려면
포인트를 더
모아야 해….
후
흣-!
안 그러면
그 자식에게
또 무시당할
거라고.
그건
분해
죽겠어.
크으윽
나는
알아!
형이랑
똑같아!
그런
타입은
되게
끈질
기다고!!
네
가족에
있단
쓰레기…
그렇게
심각해?

그놈이야말로
자기중심
덩어리야!
걸어 다니는
해악이라고!!
여어~
형 안드로·M·록
만났다간
온갖 민폐란
민폐를
당하고
죽을
거야
…!!
오오…
무서워….

저벅…
뭐….
나로선
가장 만나고
싶지…
않….
비틀
왜
그래?
?
아
어지러
워서.
오래간만에
푹 자서
그런…

가.
푸하—
……….
허.

씨익
여어,
꼬맹이.

어억?!
네가 왜
여기 있는 거야?!
아 약?!
뭐 하는 거냐고!!

뭐야.
시끄럽네~.
빼꼼
여어
?!!
어.
꼬맹이다.
빼꼼
빼꼼
어이~,
꼬맹아
~~.

형님 이다ー
우
하하하
오ー
꼬맹아ー
글

호오― 꼬맹아―
어―이
술 가져와
우글…
○×△□~?!?!?!

뭐,
뭐야?!
히이이익
우글
지,
진정해!!
이건
말도 안 돼!!
분명 식물의
환각일….
우글
지옥?!
헤이,
꼬맹이.
헤이
크하
하하
하
여전히
둔탱이네.
아직도
그러고
있냐?
돈 빌려줘~.
안 갚을
거지만~.
어이,
술!!
헤이-

만지
만질
하아~
펴,
평상심….
푸하하
네 시계,
전당포에
맡겼는데
얼마
안 되더라~.
쓰레기네
냉정….
오-
정말이지,
꼬맹이는
아직
멀었다니깐~.
공부
좀 더
해~.

뭐
냉정…
하게….
어쩔 수
없나.
꼬맹이는
내
찌꺼기
잖아.
방긋―

누가
찌꺼기라는
거야,
이 쓰레기
형아아
아아아!!!

뻐억
…?
슈우우우…
휘
이
이

…웅
!!
학생을
직접적으로
공격
하는 건…

반칙 이다.
철컥…
안드로 M 재즈.
아차!!
아니.
식물의 환각이 아냐.
방금 그건…

이 녀석의 마술!!
오로바스가 가계 능력 : 환등(幻燈)
트라우마
상대가 절대 보고 싶지 않은 트라우마를 환영으로 보여주는 능력.
잠깐….
데-비-
움찔

안드로 M 재즈.
반칙 확인!!
욱?!
즉시 이탈 하도록!!
연행!!
잠깐
어어어어어어어
어어
완전히 방심했어.
…하지만
그 상황에서 어떻게 안 차냐고.
추—욱…
나한텐 안 보였어…
글쎄
되게 성가신 놈이네.

『학생 사냥』에
당한 건가.
우연히
마주치다니
운이
없는걸….
휙
아뇨!
아마
우연이,
아니라….
화륵

화
이걸로
어브노멀은
다섯 팀
남앗나….
르륵…

어쩌면
어브노멀
클래스만
노리는
걸지도….
!
하아-!…
트라우마….

그런
능력의
표적이
된다면…
이루마는…
무사
할까…?

…아아아싸

♪헤어진 부부 중
부인은
짜
아아。
백보를 산책하고

시어머니 주위를 빙글 돌아♪

살짝 숙여서♪

아래로 내려가면

입을 쩍 벌리며

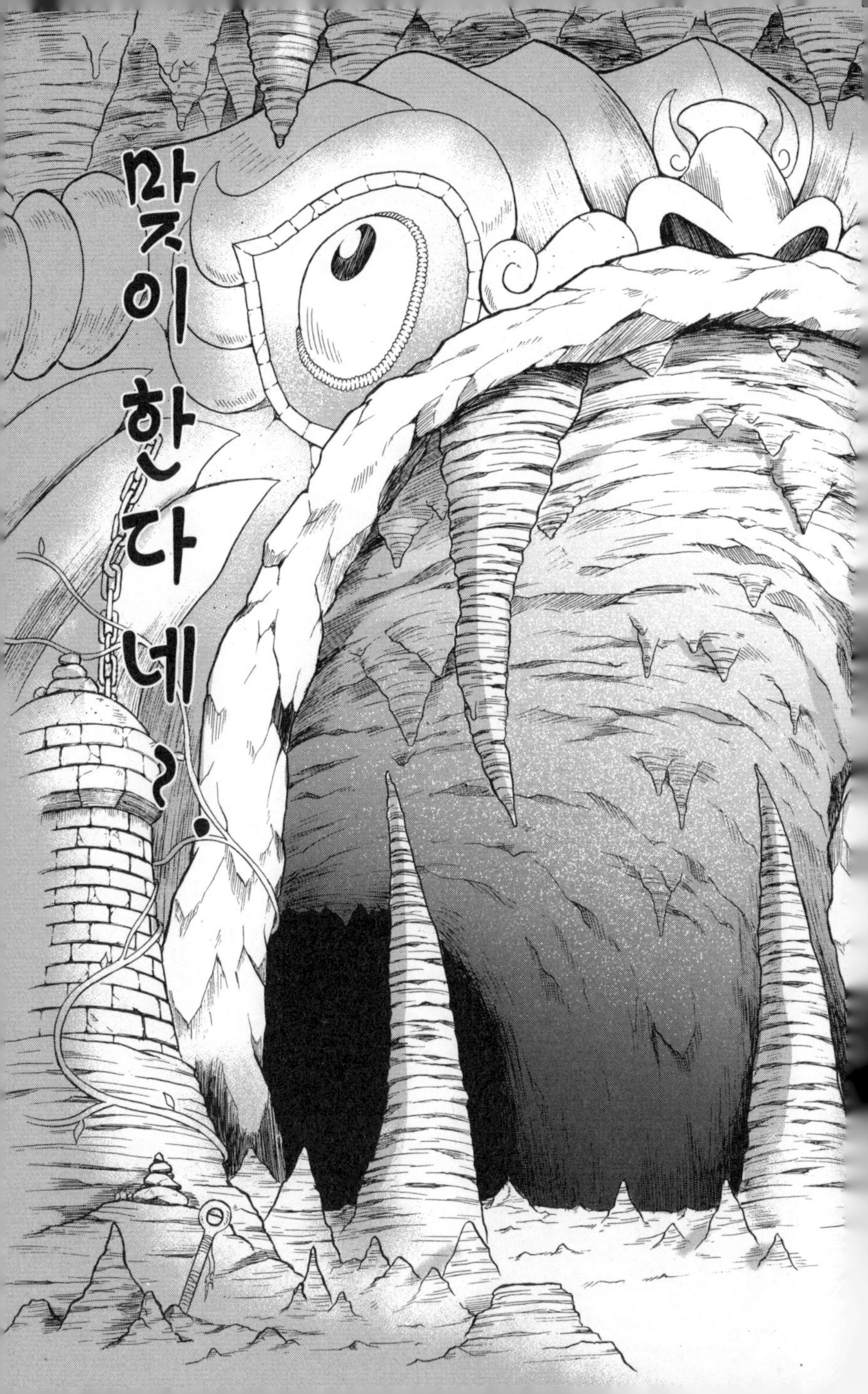
맞이 한다네~.

♪뱃속에 잠든 건
시작의 씨앗.

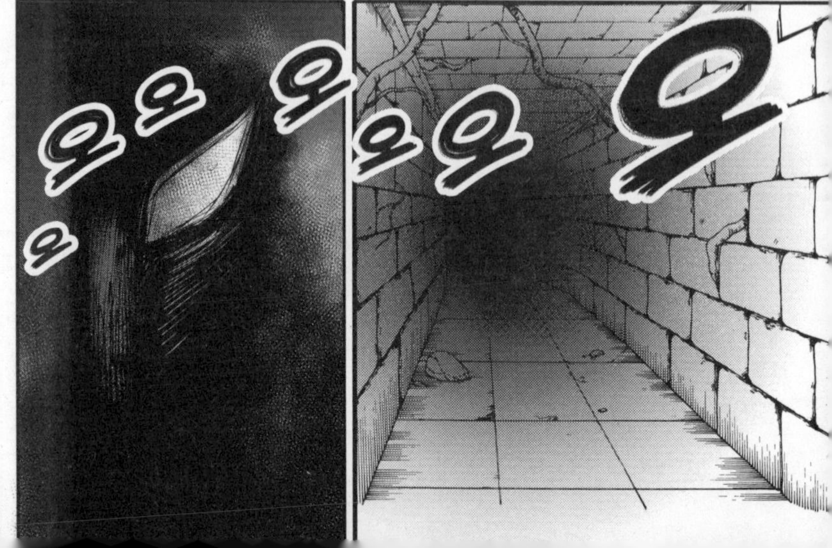
오오오오오오오

두근
두근
트레저~♪

환상의~
씨앗을
찾아서~.
기분 좋아
보이네.
제120화 시작의 씨앗

쭈욱~
그래.
드디어
이루 도령이
혼자가
됐잖아.
게다가 지하에서
보물을 찾는다니,
가슴이 뛰는걸!

둘로 나누자
가사 길어…
가사
둥실둥실 도령은 그쪽이지?
노래 후반부의 수수께끼를 풀러 간 거잖아?
합류 장소를 정하고
흩어져서 수색하기로 했어.
그럼
둥실둥실 도령
하아~
하지만 이 몸은 걱정 되는걸~.
뭐가?
마수에게
공격 받으면 어쩔 거야
이루 도령 혼자서 살아남을 수 있을지가 말이야.
둘인 편이 안전할 거라고.

악마에 입문했습니다! 이루마 군
OSAMU NISHI

안 그래도 누구누구 씨가 홀랑 넘어간 바람에 마력과 포인트를 빼앗겼는데….
빨리고있는 마력…
꺄아
다른 애들이 알면 엄청 화낼걸?
설교 확정.
그건, 저기….
잘못 했습니다….
찌릿….

그런데 안쪽으로 갈수록 악취가 나.
윽
그러네….
긴장 풀지 마.
오오오
위험 레이더가 마구 반응해.
응!
무슨 일이 일어나도 냉정을 잃지 마.
응! 조용히, 그리고 차분히….

게.
화르륵

와아아아아아
끼에에에에엣

끼에에에
어.
뭐야.
그것보다
냄새
애애애애.
풀
풀
우읍
으윽,
코가
삐뚤어
지겠어!!

애는,
1학년…
기
기기
기기
『말 없는
나프라』 씨?
말 없는 나프라
랭크「3」
기멜

우리 말고도
레전드 리프를
노리는 학생이
있구나…!
기에엥~ 오오
함정에
걸렸네.

쥐엄쥐엄풀
이야.
함정에 걸리면
물을 뿌려서
성장시키는 건가.
그거군
기기기
쥐엄쥐엄풀
물을
한 방울
이라도
뿌리면
줄기가
30미터는
자란다.
가까이에
있는 것을
쥐엄쥐엄해.

그리고
마수에게
습격당하면
끝장이겠지.
오오오오오
무서워…

뭐…
얘는 하도
냄새가 나니
마수가 몰려들지
않겠지만
말이야.
풀풀~
욱
언제까지
안전할지는
모르겠지만
뭐
내버려
두면
탈락할
거야.

기에
에
에
아아
우왓
위험해!
시끄러운데다
냄새도
나네~.
내버려두고
빨리
가던 길 가자,
이루….

영차ㅡ
도,
괜찮아요~?

아얏.
찰싸
악
뭐 하는 거야
저 녀석도 『레전드 리프』를 노리거든?
적을 풀어주면 어떡해.
하
하지만

그게, 『위험』해 보이지는 않고…
도와 달라고
말하는 느낌이… 들어!!

그리고
한 명 보다는 두 명인 편이…
하아~. 정말! 알았다, 알았어!
정말
진짜 착해빠졌다니깐~.

좋아, 풀렸어.
…….
슈르르르

콰
아갸교!!
으그극 …!!
락

응
아갸교~
어
자, 잠깐, 아, 알았어.
고, 고맙다는 거지?
놔, 놔줘.
풀풀~

저 자식,
따라와.
GYO
GYO
후우~
호, 혼자보다
둘이…
안전…
할지도….
무리
하는 거
아냐?
하아~
아냐.

오, 오오오~~~!!

신전…?!
여기가 골인 걸까…?
냄새 덕분에 함정 말고는 마수와도 마주치지 않았어.
고마워.
역시 둘이라 다행이네!
……
반짝
어?!

파아
아아아
!!

오오 오오오
이게! 『시작의 씨앗』?!

와ー!!
진짜로 있었어!!
해냈다!!
끄덕 끄덕
끄덕

응!
좋아!
교-
고끽
빨리
수확해서…
슥…
밖으로
….

오
싹

번
쩍
파
앗

!!
손…?!

앙
쿵
호오….
이걸 피한 건가.
눈썰미가 좋군….

내 이름은 『토토』.
씨앗을 지키는 마신이다.
고오오…
잘 왔다, 도전자여….
마, 마신….

씨앗을 손에 넣을 수단은 단 두가지뿐!!
하나!! 이 나에게 이기고 힘으로 빼앗는 것!!
오
오
오
오
찌릿
찌릿
오
오
오
오
오
그리고! 다른 방법은!!
바, 방법은 …?!

재미있는
이야기를
들려다오.

히익.

제121화 마신 토토
마신 토토.
마계의 지식을 관장하는, 마수들을 초월한 상위 존재.
바비루스 교사진의 소환에 응해, 수확제에서는 「시작의 씨앗」을 지키는 파수꾼 역할을 맡는다.
나는 온갖 지식을 추구한다.
그러니 씨앗을 원한다면

뭔가
재미있는
이야기를
들려다오.
오오오

제121화 마신 토토

…….
곤란해 보이는구나, 소년이여.

여, 역시, 갑자기는….
고오…
내가 모르는 이야기라면 뭐든 좋다.
된다
그리고 그 이야기로 내 마음을 흔들어서 폭소와 감동에 휩싸이게만 하면 되지.
뭐든 좋은 게 아니잖아….

구
구
웅…
그래….
지식이란
기능이다.
사건, 정보,
사상,
이야기…….
얏
타인에게
전해서
마음을 흔들지
못한다면
지식이라
할 수 없다.

고
오
오…
나는
『레전드 리프』를
피울 열쇠,
『시작의 씨앗』
파수꾼으로서
씨앗에
걸맞은 자를
파악해야만
한다.
이 내가
만족할 만큼
유익한
지식이어야만
이 씨앗과
동등한 가치를
지니는 것이다.
파아아아아

발랑 컬렉션
흘쩍 흘쩍
으음, 그럼… 감동적인 이야기 「외톨이 고문관」!
마계의 온갖 장서는 다 파악했다.
생존을 위한 서바이벌술!
동식물학 및 약학 등의 학문도 이미 이수했지.

빵은 빵인데, 못 먹는 빵은 뭐게~?!
허락 없이 질문 형식으로 바꾸지 마라.

어려워…!
애초에 마계의 기초 지식도 최근에 배우기 시작했는데.
쿠궁…
추―욱…
벌써 끝인가?

쑥…
!
나프라 씨?!

음음
쑤욱
갸갸 ~교.
교가가 구가~.
쑤욱 ~~
와붓.
부부붓. 갸~쇼~.

갸갸갸갸갸.
무릎을
찰싹
모, 모르겠어!!
음
정석적인 조크군.
아, 알아들었어!
정석 조크야?!
마계의 조크 100선에 수록
조크 100

조
조크도 잘 아시네요.
하지만 되풀이해서 계속 떠올리다 보니 이제 안 웃겨….
조크도, 이야기도,
전부 알고 있으니….

수확제에서 젊은이를 만난다면
새로운 지식을 접할 수 있을지도 모른다고 생각했는데…
음, 슬프군.
나는 이제
이 마계에서 모르는 게 없는 건가….
마계에서… 모르는 게…?

이야기……
토토 씨.
『첫사랑 메모리』를 아시나요?

뭐?
그, 그게 뭐지? 이, 이야기 인가?!
쑤욱
모르세요?! 좋아!
나프라 씨! 도와줄래?!
끗
어험
그럼 들어 주세요.
첫사랑 메모리.
제7화.
『두근두근☆ 사랑의 교통사고』.

큰일 났네~.
지각 하겠어!
나는 호시노 린(16). 현재 한창 지각 중!
히—익
새 학기 첫날부터 지각하다니~. 정말 최악이야!
※목소리는 전부 이루마가 담당하고 있습니다.
투—웅!
우왓.
꺄아.
아야 아야.
미, 미안해!

괜찮아?
※목소리는 전부 이루마가 담당하고 있습니다.
두근
다친 데는 없어?
어….

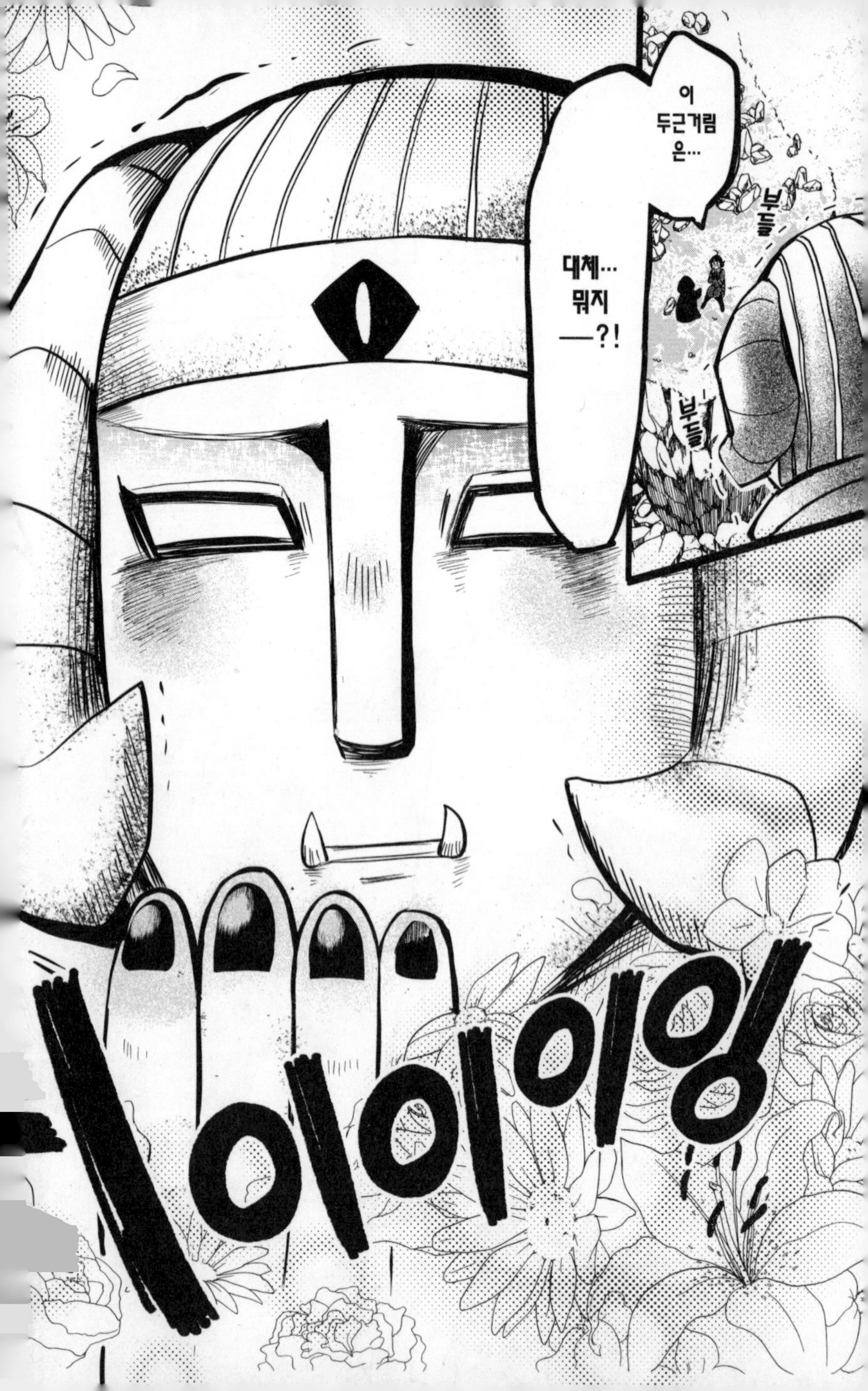
이
두근거림
은…
부들
부들
대체…
뭐지
—?!
이이이잉

카케루는
넘겨줄 수
없어!!
승부야!
이
도둑고양이!!
아아….
오래간만
이다….
마음이
떨리고
좀
좀
흑
흑
이렇게
약한
내가
카케루를
악의
조직으로부터
지키는 건…
무리야.
훌쩍
애절하고…
훈훈해….
으흑…

즐거워…!!

!!!
터어엉

정말
좋았다…!!
크으
카케루와
린의 사랑에,
공부에…
그리고
마피아와의
대항쟁!!
그아말로
충격적인
전개!!
해냈어。。。
첫사랑
메모리의
매력이
전해져서
다행이에요.
흑—
흑—
콰앙
이루마,
카케루를 위해
린이 오른손
스트레이트를
날리는 장면에
정말 흥분했지!
손에 땀을 쥐었다…!!
아아~.
이해해요!
정말
열정적
이었죠!!
후우。。。
지식이란
교류의
씨앗이다.
스윽…

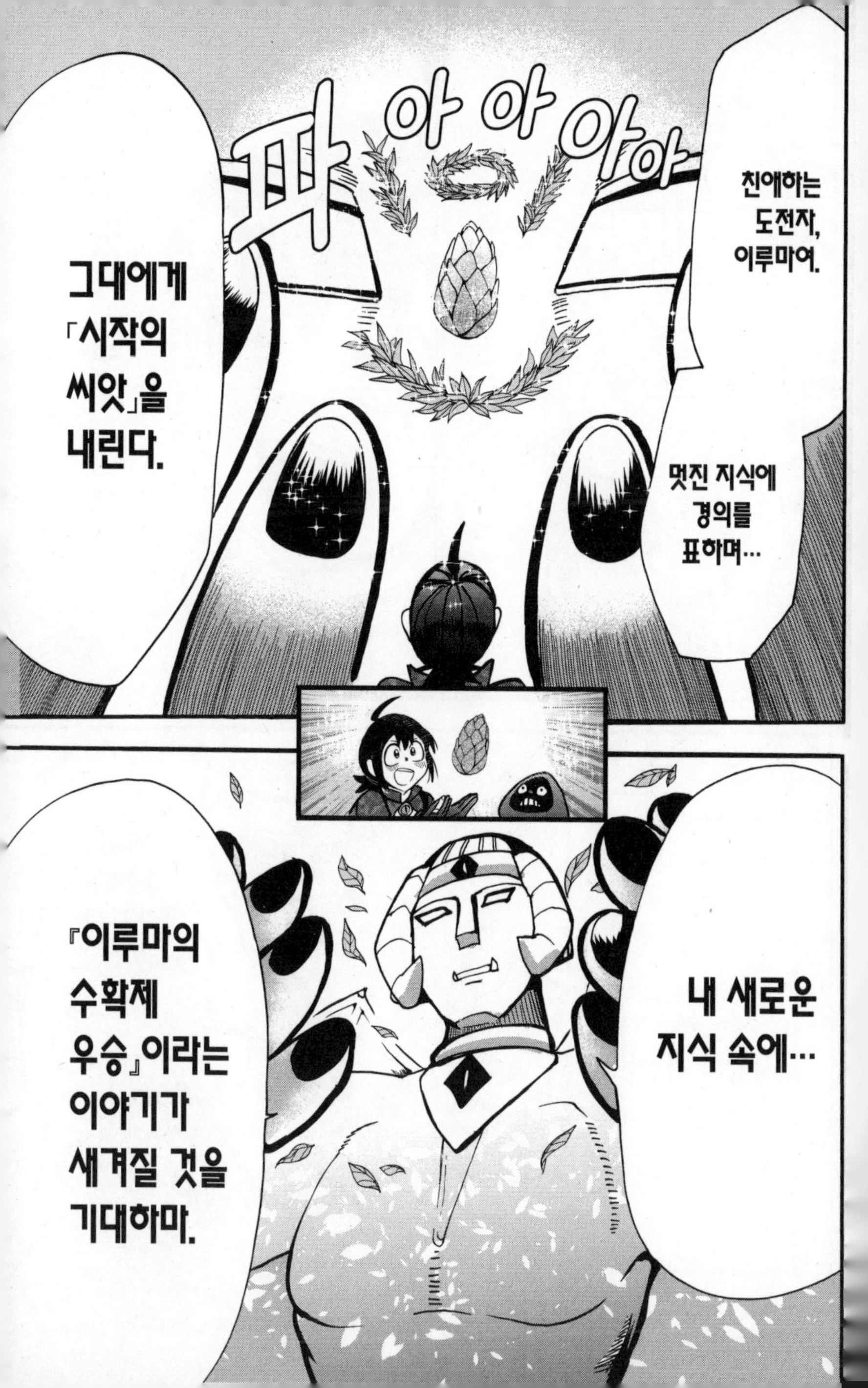
파아아아아
친애하는 도전자, 이루마여.
멋진 지식에 경의를 표하며…
그대에게 「시작의 씨앗」을 내린다.
내 새로운 지식 속에…
『이루마의 수확제 우승』이라는 이야기가 새겨질 것을 기대하마.

감사합니다!!
재미 있었다니 다행이에요…. 하지만
마음 같아선 최신 권까지 이야기 해드리고 싶었어요….
?!!
휘-익
다음 내용…이 있는 건가?!

씨앗을 내놔라!! 끝까지 다 들어야겠다!!
네엣?!
졌으면서!!
슈욱
피하지 마라!!
부웅
이루마.
첫사랑 메모리 열연으로 『시작의 씨앗』 수확 성공!!

좋아!
꾸욱
그럼 가자!
꾜꾜!!
제122화 돌아가자

토토 씨가
돌아가는 길을
가르쳐줘서
다행이야….
조심하도록
구웅
그리고 언제든
연락하도록
핸드폰
가지고
있어?!
대신 연락처를
몰어봤을 때는
깜짝 놀랐지만….
메모

시련에
꽤 시간이
걸렸으니까!
빨리
밖에
나가서
~첫사랑 메모리
10권 분량 연극~
흑 흑
밖은 아마
밤이겠지….
리드와
합류를….
GYO?

나프라 씨에 대해 뭐라고 하지….

일단 라이벌 이잖아.
으~음
으~음
하지만 씨앗 수확을 도와 줬는데….

으음~
수확 포인트를 3등분?
리드 몫은 빼고 내 몫을 나프라 씨와 반씩…?
으음~…
합류한 후에 생각하자.
톡
응
보류

끄-

그러고
보니….
슥
나프라 씨의
냄새를
신경 쓰지
않게 됐어….
익숙해진
걸까….
우와—아
환경에의
적응….
부끄교—
수확제에서는
옛날 감각이
되살아
나는걸….
옛날….

부모님 때문에
수라장에
휘말리면서…

다음은 저쪽~
살아남느라
필사적인
나날이었어.
이예~이

하지만….
저벅…
마계에
온 후로…
정말
힘든 일이
많았어.
풀풀~
끼이이이
히이익

익숙하지
않고
불가사의한
일 천지
였지….

하지만
마계에서
열심히
살자는 건
내 의지니까
정말
가슴이
두근두근

콩닥
콩닥해!
가자!
꼿

그러니
나는…
비틀~

마계
에서…!!

괜찮아!
더
열심히
이…

하 하하하
앗.

이루마~~!!!
찾았다~~.
~~~~~~!!!!

잘 지냈니~?
아빠, 엄마는
기운 만땅이야~~~~!!!
—익!!
휘
잠깐
왜?!
아니,
어떻게
온
거야?!
어떻게
냐니
걸어서?
아니아니
아니,
여기는
마계….
~~~~~~

마계…
지만!!
이 사람들
이라면
충분히
가능해…!!
오고도
남아…!!
무념
무상

돈이—
또 떨어
졌어~.
아빠, 엄마는
돈 벌
궁리
중이란다~.
예이
예이
예——잇
엄청
즐겁겠지?
응?
이루마!

헉
대체
뭐가….

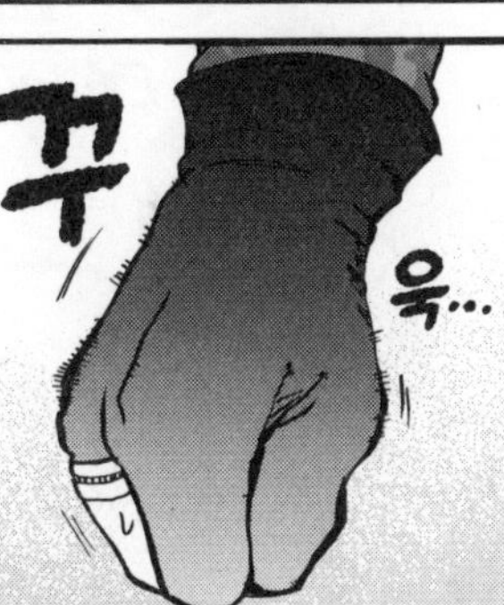
잠깐만!
우선
할 말이
있잖아!
꾸
욱…

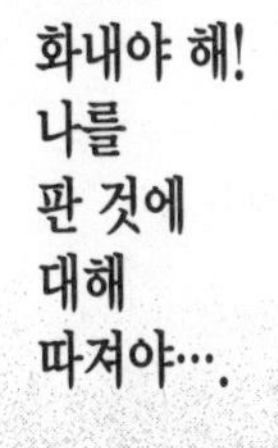
화내야 해!
나를
판 것에
대해
따져야….

이….
다음에는 사막에서 한탕 하는 게 어떨까?! 북극도 질렸잖아!
좋지!
전갈은 먹을 수 있을 거야! 피라미드 안에 보물이 있으면 독차지~.
좋네~. 그럼 일손이 필요할 거야!
왁자
지껄

내 말을 전혀 안 들어….
원래 이런 사람들 이었지.
어버
하아. 이래서야 평소와 마찬가지…….
어버
뭐, 그렇게 됐으니까….

돌아가자,
이루마.

어?
어…
그건… 좀
뭐?
왜? 평소에는 「알았어」 하면서 따라왔잖아.
?

이루마는 무슨 부탁이든 들어주는 착한 아이지?
응
그래
가자, 이루마.
응?

부탁이야…

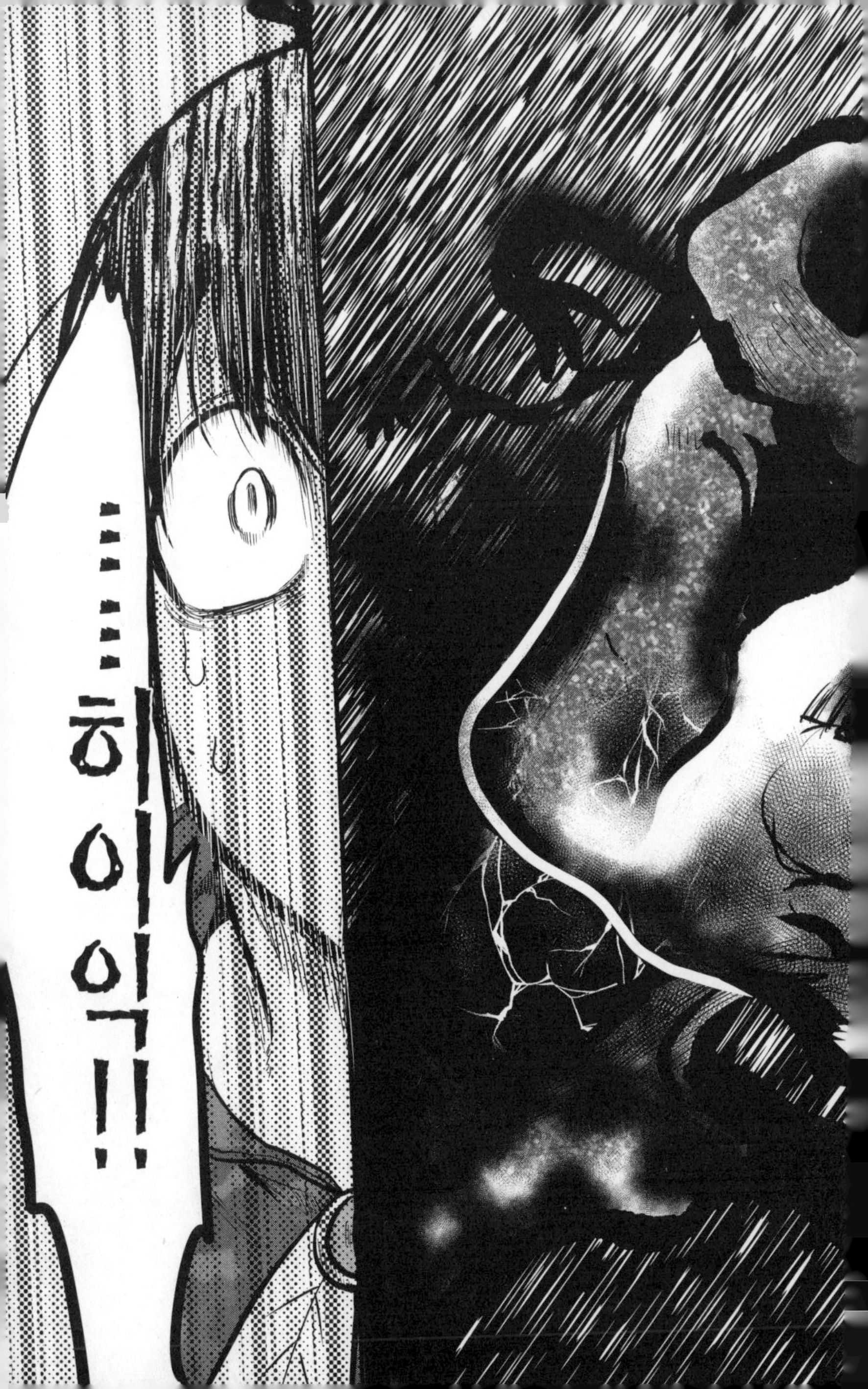
……히이익!!

아갸규이!
저벅

고—.
아아~~.
떨어 졌군요!!
짝
짝
짝
크큭!
상대의 트라우마를 환각으로 보여주는 그 능력….

대단하세요,
오로바스 님!!
건들
건들
멋지게
떨어졌어요.
이 오쵸!!
감탄을 금치
못하겠어요~.
떨어진 건
우연
이다….
꽤 강한
마술을
걸었지….
떨어지고
무사
하더라도….
수확제 동안,
이루마는
트라우마를
환영으로 보며
괴로워할 거다.
오오오오…

역시
오로바스 님….
투욱

엉? 이 자식은 뭐….
윽, 냄새!!
풀풀~
우왓, 지독한 냄새! 저기, 오로바스 님! 이 자식도 해치워 버리시죠!!

…….
우리의 표적은 어브노멀 클래스 뿐이다.
다른 자식에겐 관심 없어….

맞는 말씀이에요~ 오로바스 님!
가자.
네~♪

갸―교―!...

제123화
쭉 하지 못했던 말

그러고 보니…
아빠와 엄마를
만나고….
떨어
….
아얏.
욱신
다리
를….

다쳤…….
어쩌지….
빨리
위로
올라가야
하는데….
저벅
…

두
둥
!!
휘익…
아즈!!
클라라?!
어, 어째서
설마, 너희도 떨어진….

다가오지
마.
찰
싹
인간.

…어.
마술도,
마력도
전부
거짓….
허상
이었어….

그, 그건….
거짓 말쟁이, 싫어!!
이제 우리와 얽히지 마라.

이 배신자.
!

잠깐.
기다려.
그게 아니….
욱….
으윽

당연
하지.
!

인간과
악마가
공존하는 건
불가능하다….
네놈은
……
마계에
있어도 되는
존재가 아냐.

이루마
군!
!
하,
할아버지!
오페라 씨!

괜찮아.
걱정하지 말고
이리 오렴.
할아….

보다시피

부모님이 마중을 왔으니
돌아갈 수 있단다.

스윽…
자아.
이루마.
같이….
쿠오오오오오
돌아가자아아아.

콰직
윽.
으,
으아아아아아아아.
오오오오
오
헉
헉
으
...
오오오오오오오

하아
하아

……말 안해.
꾸욱…
개들이 그런 소릴…
할 리가 없어!!

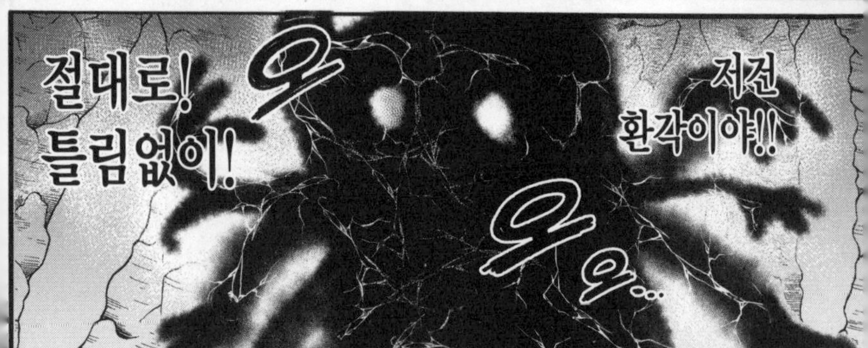
저건 환각이야!!
절대로! 틀림없이!
오오오…

환각
이라는 걸…
알지만….
몸이…
움직이지
않아…!
발이
아파서가
아냐.
부들
부들
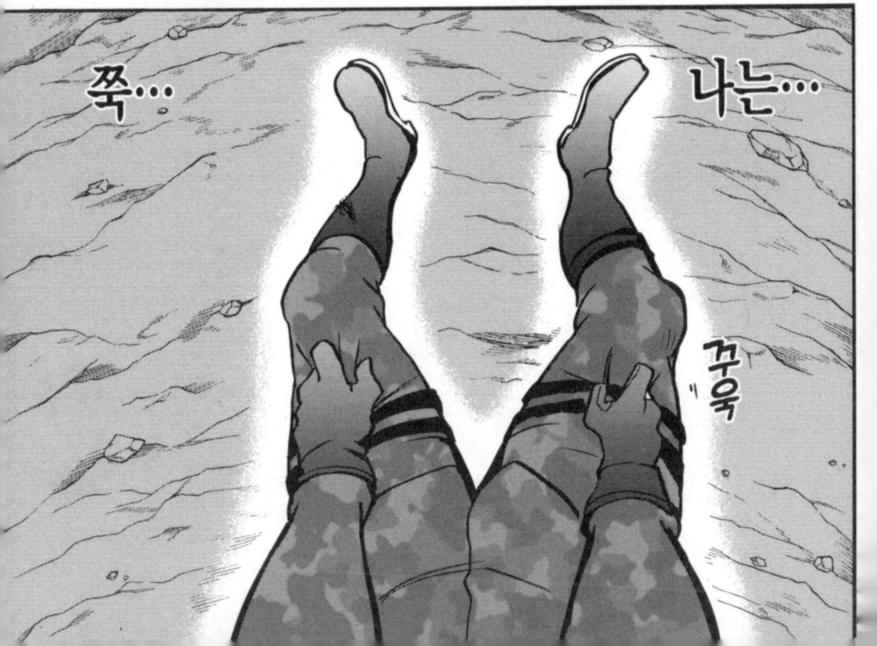
나는…
쭉…
꾸욱

혼자서도

괜찮았어.

배부르지도 않고, 좋을 게 없어.

하지만
지금은

하지만 만약
그 애들에게도
버림받는다면…

나는 또
혼자가
될 거야.

쭉 못했던
말이 있어…….

말하고 싶지 않아.
말하면 안 돼.
하지만,
하지만

쓸쓸해…….

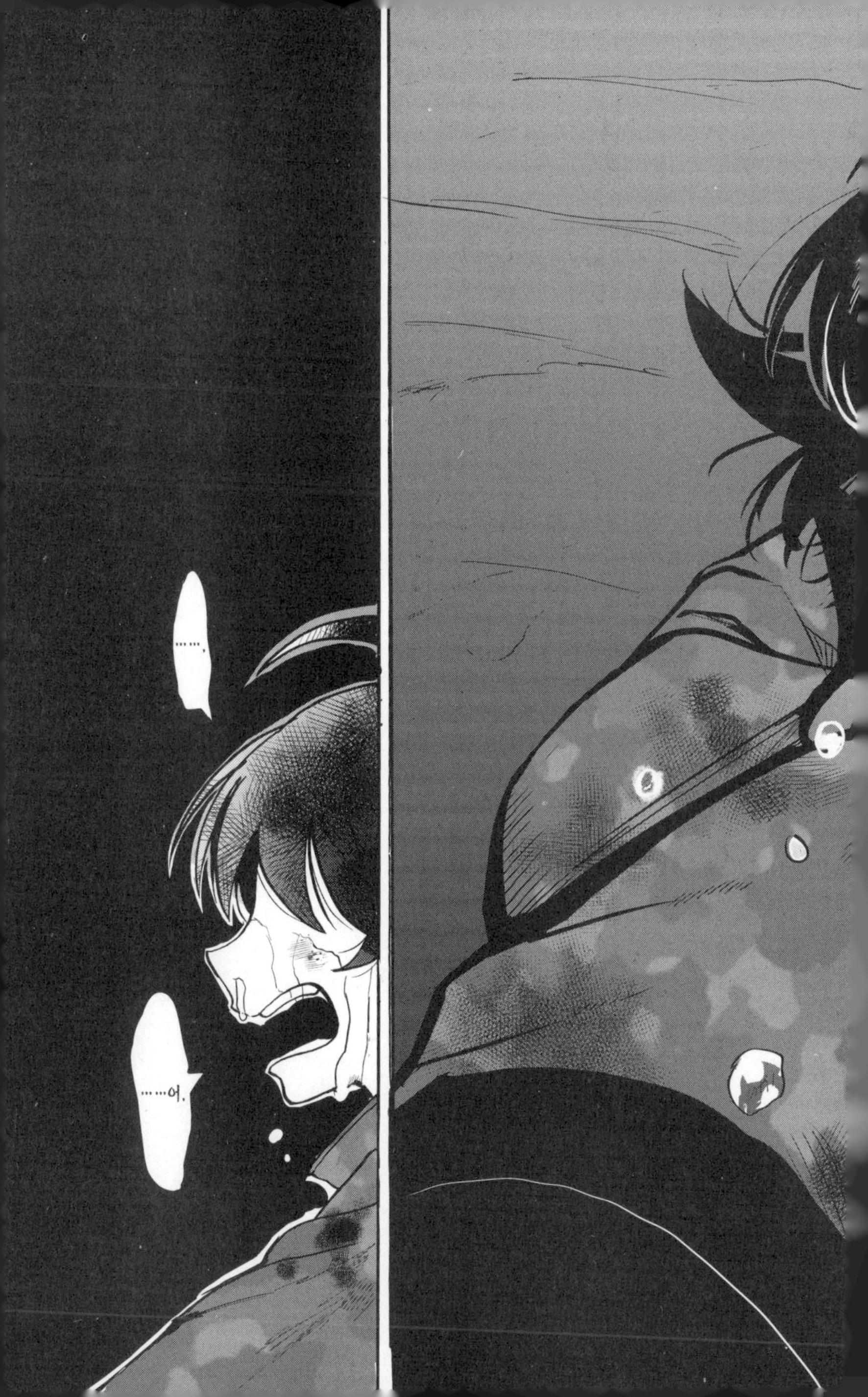
……,
……어.

싫어….
두고…
가지 마….

쳇.

너란 놈은…
초절정 바보 구나.
내가 가르쳐 준 걸 다 까먹은 거냐?!
…스….

내가
가르쳐
준 걸
다
까먹은
거냐?!
큭…

…
아….

그래….
맞아…!!
꾸욱…

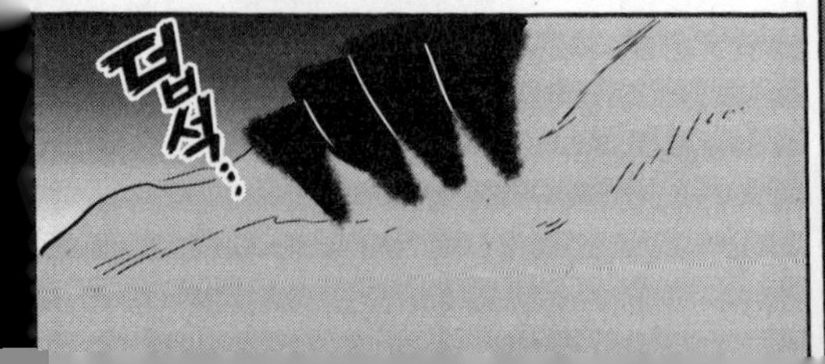
덥석…

오
오오오오오
물러나지
마….
스
윽…
나는…

파지지지지
활잡이다!!
부들
부들
이야
이 공포를
꿰뚫고 말겠어!

슥
파
지직
두웅
제124화 소망을 활에

제124화 소망을 활에

아―하
저게뭐야~!!
찰팍 했어!! 물이냐고!!
배운 대로 쐈다고… 생각… 하는데요….
화끈~
그래
틀리진 않았어~.
①발을 내딛는다.
②자세를 취한다.
③쏜다.
펑! 펑! 이야
하지만

활에
네 지령이
전해지지
않은 거야.
헉
!

마술의
기본은
「이러고
싶다」란
이미지지.
직
네 욕망을
깃털에
담아서
활을
만들어
냈지만….
그때
바란 건
「적을
쏜다」
였냐?
히어로
악마가
되고
싶어!!
!
아뇨.
크크큭
내가
봤을
때보다
활이
빈약하거든.

즉, 더욱 집중력을 끌어올려서 네가 이상적으로 생각하는 활을 이미지한 후
그 파트너에게 「쏜다」를 가르쳐줘야만 하지.
그럼
집중력이 가장 높아지는 상황은?
언제일까~?
어
조용할… 때?
반대다, 반대.
압도적인 위기.
생사의 갈림길에서야말로 집중력이 폭발적으로 상승해.
그러니까….

착각해라.
이건 캔이 아니라
스윽…
쿵
사자 타입 마마수라고.
오
오
오
오

사자 이미지는 만들어 주지.
파직
파직
허상일 뿐이지만,
만지면 죽는다고 착각하는 거야.
!
죽….
필드는 숲이다.
콰
아
앙
자아―.
!!
물러나지 마!!
내가 가르쳐 준 걸 잊은 거냐?!
집중해!!

휘이익
그런 한 방으로 이 녀석을 해치울 수 있겠냐!!
네!
관통하는 이미지를 더 전달해!
상황을 상상하면서
긴장 풀지 마!!
인마!!
너는 지금 죽었어!
활을 쏘는 이미지를 전해!!
으그극
어려워!
머릿속이 엉망진창이야.
옛날에 한 서바이벌을 떠올려!
적한테서 눈을 떼면 안 돼.
보고, 겨누고, 쏴!!

심플하고 리얼하게 상상해.
활이 살을 꿰뚫는 소리, 짐승의 포효, 냄새!
그리고 소망을
담아.

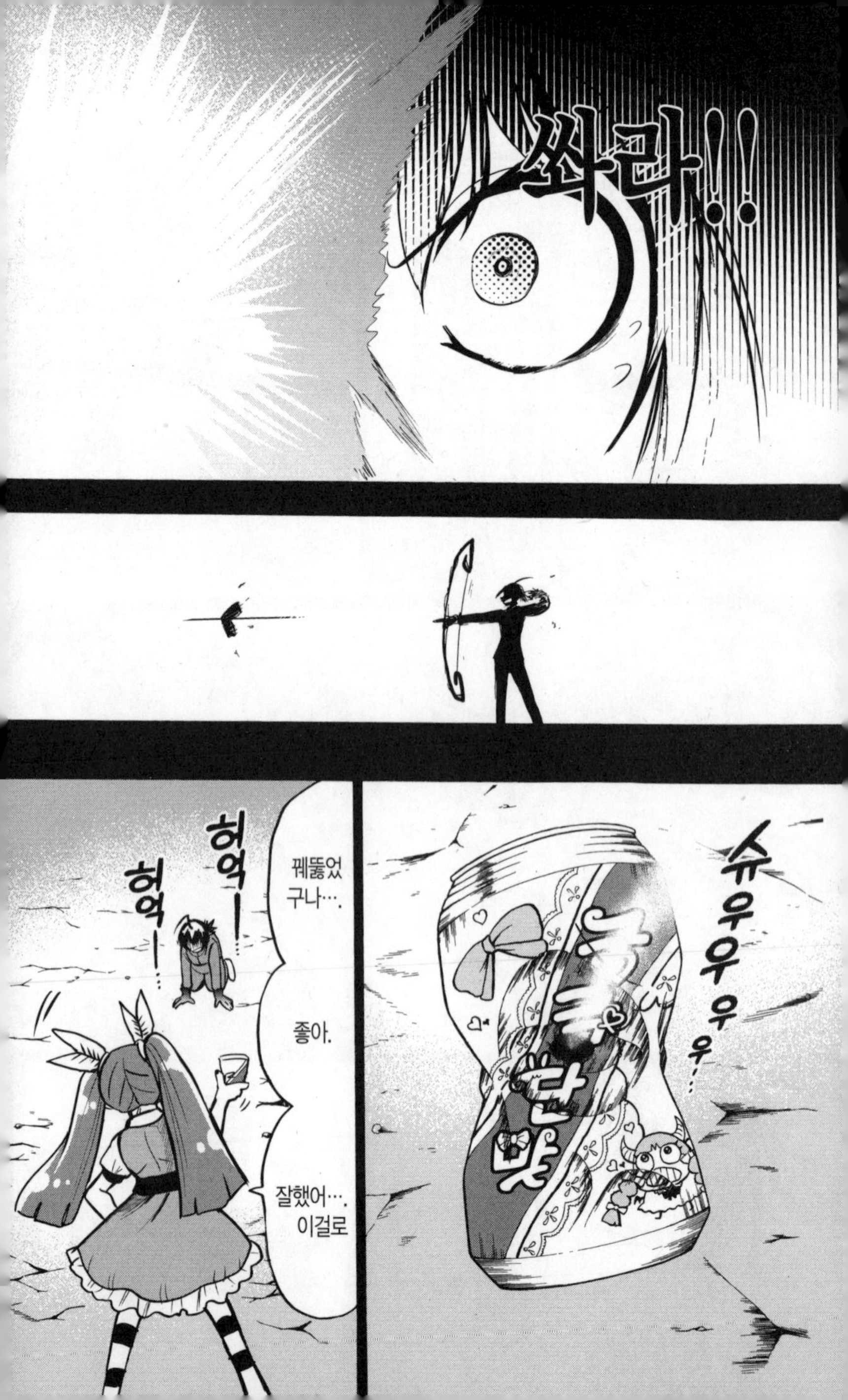
쏴라!!
슈우우우우우…
허억-!… 허억-!…
꿰뚫었구나….
좋아.
잘했어….
이걸로

다음 번으로 넘어갈 수 있겠지.
짜
아
앙
앞으로 99번, 수라장을 상상해.
구,
99번 ….
한번 이미지가 전해졌다고 활이 네 파트너가 되겠냐고.
총 백 가지 패턴이다….
포기할 거냐?

아뇨.
부모님
때문에
휘말린
수라장이
훨씬 더
많거든요.
네 부모가
이상
한거야
어
…헤쳐
나간다.
이 활과
함께…
이미지의
수라장을.

100가지
패턴…
아니
더…
더!!!
인내

대체
몇 번을
한 거야…?
허억~
하아~
모르겠
어요….
허억~
보통은
더 빨리
질리거든?
정말….
……이렇게
나를 고생시켜놓고
우승 못 한다면….
네
?!
너,
평생 내 몸종으로
살 줄 알아!!

기대
하고
있다고,
이 바보
제자야.

잘 들어, 이루마.
활을 겨누는 것을
마음을 겨눈다 라고 해.

......
부모님이 무서운 게 아냐.
몸이 거부할 정도로 무서운 건
그 괴물이 무서운 게 아냐....
내가 무서운 건
모두와 같이 있을 수 없게 되는 거야!

스승님의 말을!!
떠올려!!
공포를 떨쳐내는 이미지!
소망을 활과 화살에 담아!!
오오오
자신이 있을 곳을 지키는 거야!!
꿰뚫어, 스즈키 이루마!!

앙아

나는
마계에서
살아갈
거야.

슈우우…
아얏.
털썩
활의 반동…?
아니, 긴장이 풀린… 건가.

갸아~
기 기 기 익..

이 마수가
아까 그 괴물로
보인 거구나…….
역시
환각이었어.
그럼 분명…
위에서 본
부모님도….
기이~

하아~
그래.

좋아!
저벅
수확제
중이었지!!
돌아
가자!

모두의
곁으로…
도박

하지만… 역시
인간이라도 모두의 곁에 있을 수 있단 걸 증명할
기회이긴 해….
으음~
……으음. 기왕이면 악마 느낌으로…
…나는
인간…
이니까

『악마에 입문했습니다! 이루마 군』 제⑭권/끝

읽어주셔서 정말 감사합니다.

THANK YOU FOR READING

〒102-8107 東京都千代田区飯田橋2-10-8
秋田書店 週刊少年チャンピオン編集部気付 西修先生宛

좋아, 좋아 14권!!

이번 권은 이루마 결의 편입니다.

스즈키 이루마란 인간은 선하기 그지없지만,
역시 어딘가 부족한 부분이 있습니다.
마계에 온 후로 그는 그 부족한 부분을 깨닫고
채워갑니다만, 그 모든 것이 새롭고 찬란히 빛납니다.
이제까지 채운 것, 이제부터 채울 것이 자신에게 있어
매우 소중하다는 것을 눈치챈 그가, 겨우 결단을
내립니다. 자신이 살아갈 장소를 정한 그의 고난과
즐거움으로 가득 찬 삶을, 꼭 전해드리고 싶습니다.
좋았어, 이루마! 네가 거기 있고 싶다면,
나는 전력을 다해 파란만장한 이벤트를 준비해줄게!
다음 권도 마계는 대난리! 기대해주시길!

믿음직한 동료들

스태프 THANKS

· 오사이 씨
· 히로카와 료 씨
· 야하바 아야 씨
· 하타케야마 카즈타카 씨
· 코토부키 나오키 씨
· 카와사키 츄 씨
· 마이카와 세미 씨
· 아루가 요시노리 씨

하루에 음료를 어마어마하게 마시는 사람

· 노력가 겸 담당자 니시야마 씨

각 화의 보너스

119화의 보너스

122화의 보너스

2023년 12월 25일 제1판 제1쇄 인쇄
2023년 12월 30일 제1판 제1쇄 발행

작가 | OSAMU NISHI
번역 | 이승원

발행인 | 오태엽
편집팀장 | 이수춘
편집담당 | 이혜리
표지 디자인 | Design Plus
라이츠사업팀 | 이은선, 조은지, 정선주, 신주은
출판영업팀 | 김정훈, 이강희
제작담당 | 박석주

발행처 | (주)서울미디어코믹스
등록일 | 2018년 3월 12일
등록번호 | 제 2018-000021
주소 | 서울특별시 용산구 한강대로 43길 5

인쇄처 | 코리아 피앤피